pim en m

Anke de Vries
tekeningen van Camila Fialkowski

 Zwijsen

pim

pim en sok.
sok aan.

vaas en roos.

maan.

pim en pen.
pim en mes.

pim en vis.

raam en roos.
pim en vaas.

pim en vis.
vaas en roos.
en sok?

pim is sip.

maan is ver.
pim en vis en roos.

pim en maan.
maan en pim.

maan en vis.

mmm, roos.

maan, roos, vis ...
en pim!

raar!

pim.
maan, roos en vis.
en vaas!

maan en pim.
pim en maan.

Serie 2 • bij kern 2 van Veilig leren lezen

Na 4 weken leesonderwijs:

1. maan en saar
Frank Smulders en
Leo Timmers

2. sem en roos
Erik van Os &
Elle van Lieshout en
Hugo van Look

3. sip?
Maria van Eeden
en Jan Jutte

4. maan is ver
Marjolein Krijger

5. ik mis roos
Gitte spee

6. pim en maan
Anke de Vries en
Camila Fialkowski

7. pip is raar
Daniëlle Schothorst

8. er is vis
Brigitte Minne en
Ann de Bode